KB096285

루미곰의
스페인어 영어 대조
여행회화, 단어

꿈그린 어학연구소

루미곰의 스페인어 영어 대조 여행회화, 단어

발 행 2024년 05월 24일
저 자 꿈그린 어학연구소
펴낸곳 꿈그린
E-mail kumgrin@gmail.com

ISBN 979 - 11 - 93488 - 17 - 1

루미곰의
스페인어 영어 대조
여행회화, 단어

꿈그린 어학연구소

머리말

이 책은 스페인 및 남미 체류 시 필요한 단어와 회화를 상황 별로 정리한 스페인어 기초 여행 회화 책입니다.

특히 여행 회화책이 필요한 상황에서 상황 별 필요 문장 습득뿐만 아니라 기초적인 문법과 필수 단어도 같이 익히고 싶으신 분들에게 이 책은 적격입니다.

이미 시중에 많은 스페인어 회화책이 나와 있는 상황에서 이 책이 기존 책들과의 차별 점은 모든 스페인어 문장 및 단어의 영어 직역도 같이 소개했다는 점입니다.

이렇게 스페인어와 영어를 대조해 놓았기에 스페인어와 영어가 공용어인 미국에 체류하면서 기본적인 스페인어 지식을 얻고자 하는 독자에게도 이 책을 추천드릴 수 있습니다.

특히 이 책은 필수 여행 회화부터 기타 생활 속 표현을 중심으로 약 350 개의 중요 문장 표현과 500 개의 기초 단어를 테마 별로 정리하는데 중점을

두었습니다. 발음 규칙이나 문법 맛보기 설명에 있어서도 본문 문장을 이해하는데 필요한, 스페인어를 처음 접하는 분들이 당장에 알아야 할 아주 기초적인 내용만을 소개하는데 집중하였습니다.

스페인어 및 영어 회화 대조, 스페인어 기초 문법 숙지 및 테마 별 단어 공부를 모두 같이 할 수 있다는 점이 이 책의 매력입니다.

이 책을 통하여 많은 여행자들이 쉽게 스페인어를 익히고 스페인어권 여행에 재미를 더할 수 있기를 바랍니다.

2024 년 05 월
꿈그린 어학연구소

차 례

발 음

1. 알파벳 (Alfabeto)

알파벳	명칭	발음
A a	아 (a)	/a/
B b	베 (be)	/b/
C c	세 (ce)	/k/, /θ/, /s/
D d	데 (de)	/d/
E e	에 (e)	/e/
F f	에페 (efe)	/f/
G g	헤 (ge)	/g/, /h/, /x/
H h	아체 (hache)	묵음
I i	이 (i)	/i/
J j	호타 (jota)	/x/
K k	카 (ka)	/k/
L l	엘레 (ele)	/l/
M m	에메 (eme)	/m/
N n	에네 (ene)	/n/

9

Ñ ñ	에녜 (eñe)	/ɲ/
O o	오 (o)	/o/
P p	페 (pe)	/p/
Q q	쿠 (qu)	/k/
R r	에레 (erre)	/r/, /ɾ/
S s	에세 (esse)	/s/
T t	테 (te)	/t/
U u	우 (u)	/u/
V v	우베 (uve)	/b/
W w	우베 도블레 (uve doble)	/w/
X x	에키스 (equis)	/ks/, /x/, /s/
Y y	예 (ye)	/j/
Z z	세타 (zeta)	/θ/, /s/

2. 발음 규칙

1) 주의해야할 모음 발음

스페인어에서는 모음은 a, e, i, o, u 의 발음이 아, 에, 이, 오, 우로 일관됩니다.

　a, e, o 가 강모음이고 i, u가 약모음 입니다.

2) 주의해야할 자음 발음

B와 V: 스페인어에서 이 두 글자는 꽤 비슷하게 들리는 경우가 많습니다. 예를 들어, "vino"와 "bien"은 발음할 때 비슷하게 들릴 수 있습니다.

C: "e"와 "i" 앞에서는 영어의 "th"와 같은 [θ] 발음이, "a", "o", "u" 앞에는 'ㅋ'로 발음됩니다.
즉, ca ce ci co cu = 까 쎄 씨 꼬 꾸
또한 CH는 'ㅊ' 혹은 'ㅉ' 발음이 납니다.

G: "e"와 "i" 앞에는 거친 'ㅎ'발음이 납니다. "a", "o", "u" 앞에는 'ㄱ' 처럼 들립니다.
즉, ga ge gu gi gu = 가 헤 히 고 구
    gue, gui = 게, 기
또한 güe(구에) güi(구이) 의 발음도 기억합시다.

H: 스페인어에서 문자 "h"는 항상 묵음입니다. "h"로 시작하는 단어는 "h"가 전혀 없는 것처럼 발음됩니다. 예를 들어, "hola"는 "ola"로 발음됩니다.
J: 'ㅎ' 발음이 납니다.

R: '르' 발음이나, 첫 글자로 나오거나 rr의 형태로 나오면 혀를 떨리는 음(전동음)이 됩니다.

LL(elle): '이'로 발음 됩니다.

　　　　lla lle lli llo llu = 이야 이예 이 요 유

X: 일반적으로 'ㅋㅅ(ks)'로 발음됩니다. 예를 들어, "extra"은 "엑스뜨라"로 발음됩니다. 단어의 맨 앞에서는 'ㅅ' 발음이 나며 (xilófono = 실로포노), 토착어에서는 j 와 같습니다. "México"는 "메히코"로 발음됩니다.

Y: '이'처럼 발음됩니다.

Yes.

Sí.　　[씨]

네.

No.

No.　　[노]

아니요.

I want…

Quiero... [끼에로]

~원해요.

I would like to....

Me gustaría...

[메 구스타리아...]

~하고 싶어요.

Do you have….?

¿Tienes...?

[티에네스...?]

~있으세요?

I need…

Necesito...

[네세시토...]

~필요해요.

Can I...?

¿Puedo...?   [푸에도...?]

~해도 돼요?

Can you ....?

¿Puedes...?   [푸에데스...?]

~할 수 있어요?

Do you know ....?

¿Sabes...?   [사베스...?]

~아세요?

I do not know.

No sé.   [노 세]

몰라요.

< 인칭대명사 >

나	yo
당신	tú (비격식)
	usted (격식)
그	él
그녀	ella
우리	nosotros (남성)
	nosotras (여성)
당신들	vosotros (남성, 스페인에서 쓰임),
	vosotras (여성, 스페인에서 쓰임),
	ustedes (격식, 남미에서 쓰임)
그들	ellos (남성), ellas (여성)

< 의문사 >

누가	quién
언제	cuándo
어디서	dónde
무엇을	qué
어떻게	cómo
왜	por qué

인 사

Hello!

¡Hola! [올라]

안녕하세요.

Good morning!

¡Buenos días! [부에노스 디아스]

안녕하세요. (아침)

Good afternoon!

¡Buenas tardes! [부에나스 타르데스]

안녕하세요. (낮)

Good evening!

¡Buenas noches!   [부에나스 노체스]

좋은 밤 되세요.

Bye!

¡Adiós! [아디오스]

안녕히! (헤어질 때)

See you!

¡Hasta luego!   [아스타 루에고]

다음에 봐요.

Sleep well!

¡Duerme bien!   [두에르메 비엔]

잘 자요.

Happy Birthday!

¡Feliz cumpleaños!

[페릿 콤프레아뇨스]

생일 축하합니다.

Merry Christmas!

¡Feliz Navidad!

[페릿 나비다드]

즐거운 성탄절 되세요.

Happy new year!

¡Feliz Año Nuevo!

[페릿 아뇨 누에보]

새해 복 많이 받으세요.

Long time no see.

Mucho tiempo sin verte.

[무초 티엠포 신 베르테]

오랜만입니다.

How are you?

¿Cómo estás?

[꼬모 에스타스]

Cómo está usted? (격식)

[코모 에스타 우스테드]

잘 지내요?

How's it going?

¿Cómo va todo?   [꼬모 바 또도]

어떻게 지내세요?

I am fine.

Estoy bien.   [에스토이 비엔]

잘 지내요.

Good, thanks.

Bien, gracias.   [비엔 그라시아스]

좋아요, 고마워요.

And you?

¿Y tú? [에 투]

당신은요?

How about you?

¿Y qué hay de ti?   [에 께 아이 데 티]

당신은 어떠세요?

Not bad.

Nada mal.   [나다 말]

나쁘지 않아요.

Not so good.

No tan bien.   [노 탄 비엔]

아주 좋지는 않아요.

I am sorry to hear that.

Lo siento escuchar eso.

[로 시엔토 에스쿠챠 에소]

그런 말을 듣게 되어 유감입니다.

Nice to meet you!

¡Mucho gusto en conocerte!

[무초 구스토 엔 코노세르테]

I am happy to meet you.

Estoy feliz de conocerte.

[에스토이 펠릿 데 코노세르테]

만나서 반갑습니다.

What's your name?

¿Cómo te llamas?

[꼬모 테 야마스]

당신의 이름은 무엇입니까?

My name is…

Me llamo...

[메 야모]

제 이름은 ~ 입니다.

What do you do for a living?

¿A qué te dedicas?

[아 께 테 데디카스]

직업이 무엇이죠?

I am...

Yo soy…

[요 소이...]

저는 ~ 입니다.

How old are you?

¿Cuántos años tienes?

[꽌도스 아뇨스 티에네스]

몇 살이세요?

I am ... years old.

Tengo ... años.

[텡고 ... 아뇨스]

~살 입니다.

Are you married?

¿Estás casado/a?

[에스타스 카사도/아]

기혼이신가요?

I am single.

Estoy soltero/a.

[에스토이 솔테로/아]

저는 미혼입니다.

문법 맛보기

'~이다'라는 뜻을 가진 ser 와 estar 동사의 변화를 외워둡시다. Ser는 출신, 직업, 국적과 같은 영구적이거나 필수적인 특성에 사용됩니다.

반면 Estar는 일시적인 상태, 감정 등에 사용되며, 특정 물건이 '있다'라는 뜻도 있습니다.

	Ser	**Estar**
Yo	soy	estoy
Tú	eres	estás
Él/Ella/Usted	es	está
Nosotros/Nosotras	somos	estamos
Vosotros/Vosotras	sois	estáis
Ellos/Ellas/Ustedes	son	están

< 사람 관련 단어 >

사람	persona	person
남자	hombre	man
여자	mujer	woman
소녀 / 여자	niña / chica	girl
소년 / 남자	niño / chico	boy
쌍둥이	gemelo	twin
유아	infante/infanta	infant
어린이	niños	children
어른	adulto /adulta	adult
미스	señorita	miss
미스터	señor	mister
동료	colega	colleague
가족	familia	family
부모님	padres	parents
아버지	padre	father
어머니	madre	mother
이웃	vecino /vecina	neighbor
아들	hijo	son
딸	hija	daughter
남편	esposo /marido	husband
아내	esposa	wife
부부	pareja	couple

자매	hermana	sister
형제	hermano	brother
할머니	abuela	grandmother
할아버지	abuelo	grandfather
손자 / 손녀	nieto / nieta	grandchild
사촌	primo / prima	cousin
친척	pariente /parienta	relative
남자 친구	novio	boyfriend
여자 친구	novia	girlfriend
삼촌	tío	uncle
이모, 고모	tía	aunt

*모든 스페인어 단어는 남성, 여성으로 나뉘어 집니다. 이 책의 부록에서 이 책에 소개된 모든 단어들의 성을 확인하실 수 있습니다.

사 과

Sorry!

¡Disculpa! [디스쿨파]

미안해.

¡Disculpe! [디스쿨페]

미안합니다.

I am sorry.

Lo siento. [로시엔토]

죄송합니다.

I am very sorry.

Lo siento mucho. [로시엔토 무쵸]

정말 죄송합니다.

Pardon me.

Perdón.

[페르돈]

실례합니다.

It is okay.

Está bien.

[에스타 비엔]

괜찮아요.

Am I bothering you?

¿Te estoy molestando?

[테 에스토이 모레스탄도]

제가 방해했나요?

Don't worry.

No te preocupes.

[노 테 프레오큐페스]

걱정 마세요.

Never mind.

No hay problema.

[노 아이 프로브레마]

신경 쓰지 마세요.

I feel sorry for you.

Siento mucho por ti.

[시엔토 무쵸 포르 티]

유감입니다.

05 감 사

Congratulations!

¡Felicidades! [펠리시다데스]

축하해요.

Thank you!

¡Gracias! [그라시아스]

고마워요.

Thank you for the help.

Gracias por la ayuda.

[그라시아스 포 라 아유다]

도와주셔서 감사합니다.

Thank you so much!

¡Muchas gracias!

[무차스 그라시아스]

정말 감사합니다.

How kind of you.

Eres muy amable.

[에레스 무이 아마블레]

너무 친절하세요.

You are welcome!

¡De nada!

[데 나다]

천만에요.

It was nothing.

No fue nada.

[노 푸에 나다]

별것 아닙니다.

No problem!

Ningún problema.

[닌군 프로블레마]

뭘요, 문제없어요.

My pleasure.

Es un placer.

[에스 운 플라세르]

저도 좋았는걸요.

06 부 탁

Could you help me?

¿Podría ayudarme?

[포드리아 아유다르메]

저 좀 도와주실 수 있으세요?

Can I ask you something?

¿Puedo preguntarte algo?

[푸에도 프레군타르테 알고]

뭐 좀 여쭤봐도 되나요?

Of course!

¡Por supuesto! [포 수푸에스토]

네 물론이죠.

Can I take this?

¿Puedo tomar esto?

[푸에도 토마르 에스토]

이것을 가져도 되나요?

Sure, go ahead. / Here you are.

Claro, adelante. / Aquí tiene.

[클라로 아데란테] / [아끼 티에네]

(그럼요) 여기 있어요.

Let me help you.

Deja que te ayude.

[데하 께 떼 아유데]

제가 도와드릴게요.

Yes, how can I help you?

¿Si, como puedo ayudarle?

[씨 꼬모 푸에도 아유다르레]

네, 무엇을 도와드릴까요?

No, sorry.

No, lo siento.   [노 로 시엔토]

아뇨, 죄송해요.

No, I do not have time now.

No, no tengo tiempo ahora.

[노 노 텡고 티엠포 아호라]

아뇨, 지금 시간이 없어요.

Wait a minute, please.

Espera un minuto, por favor.

[에스페라 운 미누토 포 파보르]

잠시만요.

OK.

Está bien.

[에스타 비엔]

좋습니다.

Perhaps.

Tal vez.

[탈 베즈]

아마도요.

날 짜, 시 간

What day is it today?

¿Que día es hoy?

[께 디아 에스 오이]

오늘은 무슨 요일이죠?

Today is Tuesday.

Hoy es martes.

[오이 에스 마르테스] 오늘은 화요일입니다.

What's the date today?

¿Qué fecha es hoy?

[께 페차 에스 오이]

오늘은 며칠입니까?

Today is March 9th.

Hoy es 9 de marzo.

[오이 에스 누에베 데 마르조]

오늘은 3월 9일입니다.

What time is it?

¿Qué hora es? [께 오라 에스]

지금은 몇 시입니까?

It is five past four. (4:05)

Son las cuatro y cinco.

[손 라스 꽈드로 이 신코]

4시 5분입니다. (4 그리고 5)

It is a quarter past four. (4:15)

Son las cuatro y cuarto.

[손 라스 꽈뜨로 이 꽈트로]

4시 15분입니다. (4 그리고 15)

It is a half past four. (4:30)

Son las cuatro y media.

[손 라스 꽈뜨로 이 메디아]

4시 30분입니다. (4 그리고 반)

It is a quarter to five. (4:45)

Son las cinco menos cuarto.

[손 라스 신코 메노스 꽈트로]

 4시 45분입니다. (5 빼기 15)

It is ten to five. (4:50)

Son las cinco menos diez.
[손 라스 신코 메노스 디에즈]

4시 50분입니다. (5 빼기 10)

< 숫자 >

	기수	서수
1	uno	primero
2	dos	segundo
3	tres	tercero
4	cuatro	cuatro
5	cinco	quinto
6	seis	sexto
7	siete	séptimo
8	ocho	octavo
9	nueve	noveno
10	diez	décimo
11	once	undécimo
12	doce	duodécimo
13	trece	decimotercero
14	catorce	decimocuarto
15	quince	decimoquinto
16	dieciséis	decimosexto
17	diecisiete	decimoséptimo
18	dieciocho	decimoctavo
19	diecinueve	decimonoveno
20	veinte	vigésimo
21	veintiuno	vigésimo primero
...	...	
10	diez	décimo
20	veinte	vigésimo
30	treinta	trigésimo
40	cuarenta	cuadragésimo
50	cincuenta	quincuagésimo

60	sesenta	sexagésimo
70	setenta	septuagésimo
80	ochenta	octogésimo
90	noventa	nonagésimo
100	cien	centésimo
1000	mil	milésimo

*30부터는 treinta y uno 와 같이 1자리 수가 올때 앞에
y를 넣어줍니다.

< 월 >

1 월	enero	January
2 월	febrero	February
3 월	marzo	March
4 월	abril	April
5 월	mayo	May
6 월	junio	June
7 월	julio	July
8 월	agosto	August
9 월	septiembre	September
10 월	octubre	October
11 월	noviembre	November
12 월	diciembre	December

< 요일 >

월요일	lunes	Monday
화요일	martes	Tuesday
수요일	miércoles	Wednesday
목요일	jueves	Thursday
금요일	viernes	Friday
토요일	sábado	Saturday
일요일	domingo	Sunday

< 날, 시간 관련 >

그저께	antier, anteayer	the day before yesterday
어제	ayer	yesterday
오늘	hoy	today
내일	mañana	tomorrow
모레	pasado mañana	the day after tomorrow
평일	día laborable	weekday
주말	fin de semana	weekend
날	día	day
주	semana	week
달	mes	month
년	año	year
초	segundo	second
분	minuto	minute
시간	tiempo	time

Where are you from?

¿De dónde eres? [데 돈데 에레스]

어디 출신이세요?

I am from Korea.

Soy de Corea. [소이 데 코레아]

한국에서 왔습니다.

What brings you here?

¿Qué te trae aquí?

[께 테 트라에 아키]

어떻게 여기에 오게 되셨나요?

I study / work here.

Estudio/ Trabajo aquí.

[에스투디오 / 트라바호 아키]

저 여기서 공부 / 일해요.

I am Korean.

Soy coreano/a.

[소이 코레아노/코레아나]

저는 한국 사람입니다.

I am originally from Busan.

Soy originaria de Busan.

[소이 오리히나리아 데 부산]

제 출신지는 부산입니다.

Which city do you live in?

¿En qué ciudad vives?

[엔 께 시우다드 비베스]

어느 도시에서 사세요?

I live in Seoul.

Vivo en Seúl.

[비보 엔 세울]

서울에서 살아요.

문법 맛보기

스페인어에서는 명사에 성별이 있습니다. 예외도 있지만 남성 명사는 일반적으로 -o로 끝나고, 여성 명사는 –a 입니다.

본문에서 한국사람임을 말할 때 내가 남자일 때는 coreano, 여자일때는 coreana가 되는 것도 이 이유 입니다.

복수형의 경우, 남성 명사는 보통 -os로 끝나고, 여성 명사는 -as로 끝납니다.

< 국명 >

스웨덴	Suecia	Sweden
핀란드	Finlandia	Finland
덴마크	Dinamarca	Danmark
노르웨이	Noruega	Norway
미국	Estados Unidos	America
영국	Inglaterra	England
독일	Alemania	Germany
프랑스	Francia	France
스페인	España	Spain
이탈리아	Italia	Italy
한국	Corea	Korea
일본	Japón	Japan
중국	China	China
네덜란드	Países Bajos	Holland
멕시코	México	Mexico

09 언 어

Do you speak …?

Hablas …? [아블라스]

~어를 하시나요?

I speak a little...

Hablo un poco... [아블로 운 뽀코]

~어를 조금 합니다.

I do not speak....

No hablo.... [노 아블로]

~어를 못합니다.

Does anyone here speak ...

¿Alguien aquí habla...?

[알퀴엔 아끼 아블라..]

~를 하시는 분 계시나요?

What .... is in English?

¿Qué significa .... en inglés?

[께 시그니피카....엔 인글레스]

~은 영어로 뭐예요?

How do you say that in ..?

¿Cómo se dice eso en ....?

[꼬모 세 디세 에소 엔...]

그것은 ~어로 어떻게 말해요?

How do you say … in Spanish?

¿Cómo se dice … en español?

[꼬모 세 디세... 엔 에스파뇰]

~은 스페인어로 어떻게 말해요?

How do you pronounce that?

¿Cómo se pronuncia eso?

[꼬모 세 프로눈시아 에소]

이것은 어떻게 발음해요?

What does this mean?

¿Qué significa esto?

[께 시그니피카 에스토]

이것은 무슨 뜻이죠?

Do you understand me?

¿Me entiendes? [메 엔티엔데스]

제 말을 이해하셨나요?

I do not understand.

No entiendo.   [노 엔티엔도]

이해하지 못했어요.

I understand that.

Entiendo.   [엔티엔도]

이해는 합니다.

Could you speak a little slower?

¿Podrías hablar despacio?

[포드리아스 아블라 데스파시오]

천천히 말해 줄 수 있나요?

Could you say that again?

¿Podrías repetir eso?

[포드리아스 레페티르 에소]

다시 말해 주실 수 있으세요?

Could you write it down?

¿Podrías escribirlo?

[포드리아스 에스크리비르로]

써주실 수 있으세요?

Could you spell that for me?

¿Podrías deletrearlo para mí?

[포드리아스 데레트레아로 파라 미]

철자를 알려주실 수 있으세요?

< 언어 >

스웨덴어	sueco	Swedish
핀란드어	finlandés	Finnish
덴마크어	danés	Danish
노르웨이어	noruego	Norwegian
영어	inglés	English
독일어	alemán	German
프랑스어	francés	French
스페인어	español	Spanish
이탈리아어	italiano	Italian
한국어	coreano	Korean
일본어	japonés	Japanese
중국어	chino	Chinese
네덜란드어	neerlandés	Dutch

10 의 견

What do you think?

¿Qué piensas? [께 피엔사스]

뭐라고 생각하세요?

What's going on?

¿Qué está pasando? [께 에스타 파산도]

무슨 일이죠?

I think/believe that…

Yo pienso/creo que...

[요 피엔소 / 크레오 께...]

~라고 생각합니다.

What do you prefer?

¿Qué prefieres?

[께 프레피에레스]

뭐가 좋으세요?

I like it.

Me gusta.

[메 구스타]

그거 마음에 들어요.

I do not like it.

No me gusta.

[노 메 구스타]

그거 마음에 안 들어요.

I like / hate to do that.

Me gusta/molesta hacer eso.

[메 구스타 / 몰레스타 에세르 에소]

하기 좋아합니다. /싫어합니다.

I am happy.

Yo estoy feliz.

[요 에스토이 펠리]

기쁩니다.

I am not happy.

No estoy feliz.

[노 에스토이 펠리]

기쁘지 않습니다.

I am not in a good mood.

No estoy de buen humor.

[노 에스토이 데 부엔 우머]

기분이 좋지 않습니다.

I am interested in…

Estoy interesado(a) en...

[에스토이 인테르에사도(아) 엔...]

~에 흥미가 있습니다.

I am not interested.

No estoy interesado(a).

[노 에스토이 인테르에사도(아)]

흥미 없습니다.

I am bored.

Estoy aburrido(a).

[에스토이 아부리도(아)]

지루합니다.

It does not matter.

No importa.

[노 임포르타]

상관없어요.

Really?

¿En serio?

[엔 세리오]

정말로요?

I've had enough.

Ya he tenido suficiente.

[야 헤 테니도 수피시엔테]

이제 충분합니다. 질리네요.

Not bad!

¡No está (tan) mal!

[노 에스타 (탄) 말]

나쁘지 않네요.

Great! / Wonderful!

¡Genial! / ¡Excelente! / ¡Maravilloso!

[히니알] / [엑셀렌테] / [마라비요소]

좋아요. / 멋져요.

What a pity!

¡Qué lástima!

[께 라스티마]

안타깝네요.

문법 맛보기

스페인어의 목적격 대명사는 다음과 같습니다.

본문의 Me gusta에서 1인칭 목적격이 사용된 이유는 gusta 동사가 간접 목적격 대명사를 의미상 주어로 받는 동사이기 때문입니다. '너를 좋아해'를 스페인어로 하면 Te amo가 됩니다.

인칭	단수	복수
1인칭	me(나를, 나에게)	nos(우리를, 우리에게)
2인칭	te(너를, 너에게)	os(너희를, 너희에게)
3인칭	lo/la(그,그녀,당신을) le(그,그녀,당신에게)	los/las(그들을) les(그들에게)

전 화

Is this...?

Es esto ....?   [에스 에스토]

~이신가요?

This is ...

Esto es ... [에스토 에스...]

~입니다.

Can I speak to...?

Puedo hablar con....?

[푸에도 아블라르 콘...]

~랑 통화할 수 있나요?

I'd like to speak to..

Me gustaría hablar con..

[메 구스타리아 아블라르 콘...]

~랑 통화하고 싶습니다.

Who is calling?

¿Quién llama?

[퀴엔 야마]

누구시죠?

You have the wrong number.

Tiene el número equivocado.

[티에네 엘 누메로 에퀴보카도]

잘못된 번호로 거셨습니다.

The line is busy.

La línea está ocupada.

[라 리네아 에스타 오쿠파다]

통화 중입니다.

He is not here right now.

Él no está aquí ahora.

[엘 노 에스타 아끼 아호라]

그는 지금 자리에 없습니다.

Can you let him know I called?

¿Podrías hacerle saber que llamé?

[포드리아스 아세르레 사베 께 야메]

제가 전화했다고 전해주시겠습니까?

Please let him know I called.

Por favor, hazle saber que llamé.

[포 바보르 아스레 사베르 께 야메]

제가 전화했다고 전해주세요.

Can you ask him to call me back?

¿Puedes pedirle que me llame de vuelta?

[푸에데스 페디레 께 메 야메 데 부엘타]

다시 전화해 달라고 말씀해 주시겠습니까?

I will call again later.

Llamaré de nuevo más tarde.

[야마레 데 누에보 마스 타르데]

나중에 전화하겠습니다.

Can I leave a message?

¿Puedo dejar un mensaje?

[푸에도 데하 운 멘사헤]

메시지를 남길 수 있을까요?

What's your phone number?

¿Cuál es tu número de teléfono?

[꽐 에스 투 누메로 데 텔레포노]

전화번호가 어떻게 되세요?

My phone number is….

Mi número de teléfono es….

[미 누메로 데 텔레포노 에스..]

제 전화번호는~ 입니다.

Can you repeat that?

¿Puedes repetir?

[푸에데스 레페테르]

한 번 더 말해 주실 수 있으세요?

문법 맛보기

스페인어 동사는 ser동사와 같은 불규칙형을 제외하고 보통 hablar(말하다), comer(먹다) 및 vivir(살다)와 같이 -ar, -er 또는 -ir로 끝나며 인칭에 따라 어미가 달라집니다. 본문에 쓰인 hablar 동사의 변화형은 다음과 같습니다.

Yo habl**o** (나는 말해요)

Tú habl**as** (너는 말해요)

Él/Ella habl**a** (그는/그녀는 말해요)

Nosotros/Nosotras habl**amos** (우리는 말해요)

Vosotros/Vosotras habl**áis** (너희들은 말해요)

Ellos/Ellas habl**an** (그들은 말해요)

er동사는 위 어미의 a부분이 e로 바뀌며(vosotros는 -éis), ir 동사는 er동사와 비슷하나 nosotros는 –imos, vosotros는 -is로 어미가 변화합니다.

< 전자 기기 관련 단어 >

컴퓨터	ordenador / computadora	computer
랩탑	computadora portátil	laptop
인터넷	internet	Internet
이메일	correo electrónico	e-mail
웹 사이트	sitio web	website
프린터	impresora	printer
카메라	cámara	camera
메모리카드	tarjeta de memoria	memory card
배터리	batería	battery
전기	electricidad	electricity
전화	teléfono	phone
스마트폰	teléfono inteligente	smart phone
심카드	tarjeta SIM	SIM card
문자 메시지	mensaje de texto	text message
콘센트	enchufe	socket
충전기	cargador	charger
태블릿 pc	tableta	tablet pc
헤드폰	auriculares	headphones

12 우편, 환전

Where is the ATM?

¿Dónde está el cajero automático?

[돈데 에스타 엘 카헤로 아우토마티코]

ATM 기는 어디에 있나요?

Where is the nearest money exchange office?

¿Dónde está la oficina de cambio más cercana?

[돈데 에스타 라 오피시나 데 캄비오 마스 세르카나]

여기 주변에 환전소는 어디죠?

I would like to exchange some money.

Me gustaría cambiar algo de dinero.

[메 구스타리아 캄비아르 알고 데 디네로]

돈을 환전하고 싶습니다.

What is the current exchange rate?

¿Cuál es el tipo de cambio actual?

[꽐 에스 엘 티포 데 캄비오 악투왈]

현재 환율이 어떻게 되죠?

What is the exchange between Dollar and Euro?

¿Cuál es el cambio entre el dólar y el euro? [꽐 에스 엘 깜비오 엔트레 엘 돌라 이 엘 에우로]

달러와 유로의 환율이 어떻게 되죠?

How much is the commission fee?

¿Cuánto es la comisión?

[꽌토 에스 라 꼬미시온]

수수료가 얼마죠?

I want to send this package by airmail.

Quiero enviar este paquete por correo aéreo. [끼에로 엔비아 에스테 파케테 포르 꼬레오 아에레오]

이 소포를 항공 우편으로 보내고 싶습니다.

I'd like to send this to America.

Me gustaría enviar esto a América.

[메 구스타리아 엔비아 에스토 아 아메리카]

이것을 미국으로 보내고 싶습니다.

How much does it cost to send this
letter to Korea?

**¿Cuánto cuesta enviar esta carta a
Corea?** [꽌토 쿠에스타 엔비아 에스타 카르
타 아 꼬레아]

한국으로 이 편지 보내는데 얼마죠?

Can I get 6 stamps?

¿Puedo obtener 6 sellos?

[푸에도 오브테네르 세스 세요스]

우표 6 개 주세요.

Have I put enough stamps on this?

¿He puesto suficientes sellos en esto?

[에 푸에스토 수피시엔테스 세요스 엔 에스
토]

우표가 여기 충분한가요?

< 금융 관련 단어 >

은행	banco	bank
ATM	cajero automático	ATM
계좌	cuenta	account
비밀 번호	contraseña	password
달러	dólar	dollar
유로	euro	Euro
돈	dinero	money
현금	efectivo	cash
동전	moneda	coin
여행자 수표	cheques de viajero	traveler's checks
예금	depósito	deposit
이자	interés	interest
카드	tarjeta de crédito	credit card
환율	tipo de cambio	exchange rate
환전	cambio de moneda	currency exchange

< 우편 관련 단어 >

국내우편	correo nacional	domestic mail
국제우편	correo internacional	international mail
항공우편	correo aéreo	air mail
수신인	destinatario	receiver
발신인	remitente	sender
소포	paquete	package
우체국	oficina de correos	post office
우편 번호	código postal	ZIP code
우편 요금	franqueo	postage
우편함	buzón	mailbox
우표	sello / estampilla	stamp
주소	dirección	address
엽서	tarjeta postal	postcard
배송조회번호	número de seguimiento / rastreo	tracking number

13

날 씨

What's the weather like today?

¿Cómo está el clima hoy?

[꼬모 에스타 엘 클리마 오이]

오늘 날씨 어때요?

What's the temperature today?

¿Cuál es la temperatura hoy?

[꽐 에스 라 템페라투라 오이]

오늘 몇 도 정도 될까요?

It's beautiful /nice weather.

Hace un clima hermoso/bonito.

[아세 운 클리마 에르모소 / 보니토]

날씨가 좋네요.

It's cold today.

Hace frío hoy. [아쎄 프리오 오이]

오늘 추워요.

It's cool today.

Hace fresco hoy. [아쎄 프레스코 오이]

오늘 시원해요.

It's hot today.

Hace calor hoy. [아쎄 카로 오이]

오늘 더워요.

It's humid /dry.

Está húmedo/seco.

[에스타 우메도 / 세코]

습한 / 건조한 날씨입니다.

Will there be bad weather?

El clima va a empeorar?

[엘 클리마 바 아 엠페오라]

날씨가 안 좋아 질까요?

Will the weather remain like this?

¿El clima va a seguir así?

[엘 클리마 바 아 세귀르 아씨]

날씨가 죽 이럴까요?

Is it going to rain?

¿Va a llover?   [바 아 요베르]

비가 올까요?

It's raining.

Está lloviendo. [에스타 요비엔도]

비가 오고 있습니다.

It's snowing.

Está nevando.

[에스타 네반도]

눈이 내리고 있습니다.

It's stormy.

Esta tormentoso. [에스타 토르멘토소]

폭풍우가 몰아치고 있습니다.

It's sunny.

Está soleado. [에스타 솔레아도]

해가 납니다.

It's cloudy.

Está nublado. [에스타 누블라도]

날씨가 흐립니다.

It's foggy.

Está con niebla. [에스타 콘 니에블라]

안개가 꼈습니다.

It's windy.

Hace viento.   [아쎄 비엔토]

바람이 붑니다.

It's icy.

Está helado. [에스타 에라도]

얼음이 얼었습니다.

< 날씨 관련 단어 >

구름	nube	cloud
해	sol	sun
기후	clima	climate
날씨	tiempo	weather
눈	nieve	snow
눈보라	tormenta de nieve	snowstorm
무지개	arcoíris	rainbow
바람	viento	wind
비	lluvia	rain
서리	escarcha	frost
안개	niebla	fog
기온	temperatura	temperature
온도	grado	degree
습도	humedad	humidity
일기 예보	pronóstico del tiempo	weather forecast
진눈깨비	aguanieve	sleet
천둥	trueno	thunder
번개	relámpago	lightning
폭풍	tormenta	storm
허리케인	huracán	hurricane
홍수	inundación	flood

< 계절 >

봄	primavera	spring
여름	verano	summer
가을	otoño	autumn
겨울	invierno	winter

14

교 통

Do you know where … is?

¿Sabes dónde está …?

[사베스 돈데 에스타...]

~가 어디에 있는지 아시나요?

I'm lost.

Estoy perdido(a).   [에스토이 페르디도(아)]

길을 잃었어요.

Where is the nearest ….?

¿Dónde está el/la más cercano/a …?

[돈데 에스타 엘/라 마스 세르카노/아...]

가장 가까운 ~가 어디 있나요?

How can I get to ... ?

¿Cómo puedo llegar a ...?

[꼬모 푸에도 예가라 아...]

어떻게 ~에 가나요?

How can I get there by foot?

¿Cómo puedo llegar allí a pie?

[꼬모 푸에도 에가라 아이 아 피에]

거기는 걸어서 어떻게 가죠?

Is it walking distance?

¿Está a distancia a pie?

[에스타 아 디스탄시아 아 피에]

걸을 만한가요?

How far is it to the next tram stop?

¿A qué distancia está la próxima parada de tranvía? [아 께 디스탄시아 에스타 라 프록 시마 파라다 데 트란비아]

다음 트램 정류장까지 얼마나 멀죠?

What time does the next bus depart?

¿A qué hora sale el próximo autobús?

[아 께 오라 사레 엘 프록시모 아우토부스]

다음 버스는 몇 시에 출발해요?

Where does this bus go?

¿Adónde va este autobús?

[아돈데 바 에스테 아우토부스]

이 버스는 어디로 가죠?

When will we arrive at ...?

¿Cuándo llegaremos a ...?

[꽌도 예가레모스 아...]

언제 ~에 도착하나요?

Does this bus/ train stop at ...?

¿Este autobús/tren se detiene en ...?

[에스테 아우토부스/트렌 세 데티엔네 엔...]

이 버스 / 기차 ~에 멈추나요?

Where do I have to get off?

¿Dónde tengo que bajarme?

[돈데 텐고 께 바하르메]

어디서 내려야 해요?

Do I have to transfer?

¿Tengo que transferir?

[텡고 께 트렌스페리]

갈아타야 하나요?

Could you tell me where I have to get off?

¿Podrías decirme dónde tengo que bajarme?

[포드리아스 데시르메 돈데 텡고 께 바하르메]

어디서 내려야하는지 알려주실 수 있으세요?

Where can I buy a ticket?

¿Dónde puedo comprar un billete/ boleto?

[돈데 푸에도 콤프라르 운 빌레테 / 보레토]

어디서 표를 살 수 있나요?

How much does one way / round-trip ticket cost?

¿Cuánto cuesta un boleto de ida / de ida y vuelta? [꽌토 쿠에스타 운 보레토 데 이다/ 데 이데 이 부엘타]

편도/왕복 표 얼마예요?

Do I have to book a seat?

¿Necesito reservar un asiento?

[네세시토 레세르바르 운 아시엔토]

자리를 예매해야 하나요?

Do you have a timetable?

¿Tiene un horario?

[티에네 운 오라리오]

시간표 있으세요?

Could you call a taxi?

¿Podrías llamar a un taxi?

[포드리아스 야마라 아 운 탁시]

택시 좀 불러줄 수 있나요?

How much does it cost to go ...?

¿Cuánto cuesta ir a ...?

[꽌토 쿠에스타 이르 아...]

~까지 가는데 얼마입니까?

Take me to this address.

Lléveme a esta dirección.

[예베메 아 에스타 디렉시온]

이 주소로 가주세요.

How long will it take?

¿Cuánto tiempo llevará?

[꽌토 티엠포 예바라]

가는데 얼마나 시간이 걸립니까?

Hurry up please!

¡Apúrate por favor! [아푸라테 포 파보르]

서둘러 주세요.

문법 맛보기

'가다'라는 뜻의 ir 동사는 불규칙 동사입니다. '오다'라는
뜻의 venir 동사와 비교해 봅시다. venir는 보통 venir a (+동
사) 형태로 ~하러 오다, 혹은 venir de (+장소) 형태로 '~로(부
터) 오다'와 같이 쓰입니다.

	Ir	**Venir**
Yo	voy	vengo
Tú	vas	vienes
Él/Ella/Usted	va	viene
Nosotros/Nosotras	vamos	venimos
Vosotros/Vosotras	vais	venís
Ellos/Ellas/Ustedes	van	vienen

<교통 관련단어>

교통	tráfico	traffic
교통 신호	semáforo	traffic light
횡단 보도	paso de peatones	crosswalk
다리	puente	bridge
도로	camino	way
택시	taxi	taxi
트램	tranvía	tram
버스	autobús	bus
버스 정류장	parada de autobús	bus stop
보도	acera	sidewalk
버스 운전사	conductor de autobús	bus driver
승객	pasajero	passenger
안전 벨트	cinturón de seguridad	seat belt
자동차	coche	car
자전거	bicicleta	bike
정류장	estación	station
지하철	metro	subway
기차	tren	train
철도	ferrocarril	railway
기차역	estación de tren	train station

시간표	horario	timetable
왕복표	billete de ida y vuelta	round-trip ticket
편도표	billete de ida	oneway ticket

< 방위 >

동쪽	este	east
서쪽	oeste	west
남쪽	sur	south
북쪽	norte	north

92

15 　관 광

Where is the tourist office?

¿Dónde está la oficina de turismo?

[돈데 에스타 라 오피시나 데 투리스모]

안내 센터는 어디죠?

Any good place to visit?

¿Algún buen lugar para visitar?

[알군 부엔 루가르 파라 비시타르]

가볼 만한 곳이 어디인가요?

Do you have a city map?

¿Tienen un mapa de la ciudad?

[티에네 운 마파 데 라 시우다드]

시내 지도 있어요?

Can you mark it on the map?

¿Puede marcarlo en el mapa?

[푸에데 마르카르로 엔 엘 마파]

지도에 표시해 줄 수 있으세요?

Could you take a photo of us?

¿Podrías tomarnos una foto?

[포드리아스 토마르노스 우나 포토]

저희 사진 좀 찍어주시겠어요?

Can I take photos?

¿Puedo tomar fotos?

[푸에도 토마르 포토스]

사진 찍어도 되나요?

When is here open / closed?

¿Cuándo está abierto/cerrado aquí?

[꽌토 에스타 아비에르토 / 세르라도 아끼]

~는 언제 열어요?/ 닫아요?

Do you have a group discount?

¿Tienen descuento para grupos?

[티에네 데스쿠엔토 파라 구루포스]

그룹 할인이 있나요?

Do you have a student discount?

¿Tienen descuento para estudiantes?

[티에넨 데스쿤토 파라 에스투디안테스]

학생 할인 있나요?

Where can I do ...?

¿Dónde puedo hacer…?

[돈데 푸에도 아세르...]

어디서 ~를 할 수 있죠?

Is there … nearby?

¿Hay… cerca?

[아이...세르카]

주변에 ~가 있나요?

Are there guided tours?

¿Hay visitas guiadas?

[아이 비시타스 구이아다스]

가이드 투어가 있나요?

How long does it take?

¿Cuánto tiempo se tarda?

[꽌토 티엠포 세 타르다]

얼마나 걸려요?

Do we have free time?

¿Tenemos tiempo libre?

[테네모스 티엠포 리브레]

자유 시간 있어요?

How much free time do we have?

¿Cuánto tiempo libre tenemos?

[꽌토 티엠포 리브레 테네모스]

자유 시간 얼마나 있어요?

< 장소 관련 단어 >

교회	iglesia	church
PC방	cibercafé	Internet cafe
경찰서	comisaría de policía	police station
공원	parque	park
궁전	palacio	palace
극장	teatro	theater
대학	universidad	university
도서관	biblioteca	library
동물원	zoológico	zoo
레스토랑	restaurante	restaurant
미용실	salón de belleza	beauty salon
바	bar	bar
박물관	museo	museum
백화점	grandes almacenes	department store
병원	hospital	hospital
빵집	panadería	bakery
서점	librería	bookstore
성	castillo	castle
성당	catedral	cathedral

소방서	estación de bomberos	fire station
수영장	piscina	swimming pool
슈퍼마켓	supermercado	supermarket
시청	ayuntamiento	town hall
신발가게	zapatería/ tienda de zapatos	shoe store
약국	farmacia	pharmacy
영화관	cine	cinema
옷가게	tienda de ropa	clothing store
유원지	parque de atracciones	amusement park
정육점	matadero	slaughter house
키오스크	quiosco	kiosk
학교	escuela	school
항구	puerto	port

<관광 관련 단어>

가이드북	guía	guidebook
관광	turismo	sightseeing
관광 안내소	oficina de turismo	tourist office
관광객	turista	tourist
기념품점	tienda de regalos	gift shop
매표소	taquilla	ticket office
분실물 사무소	objetos perdidos	lost and found
사진	foto	photo
신혼 여행	luna de miel	honeymoon
안내 책자	folleto	brochure
여행	viaje	trip
예약	reserva	reservation
일정표	itinerario	itinerary
입장권	boleto	ticket
입장료	tarifa de la entrada	entrance fee
자유 시간	tiempo libre	free time
지도	mapa	map
차례, 줄	cola	queue
출장	viaje de negocios	business trip

16 공 항

16-1) 출국 시

Where is your destination?

¿Cuál es tu destino?

[꽐 에스 투 데스티노]

어디로 가십니까?

Show me your passport, please.

Muéstrame tu pasaporte, por favor.

[무에스트라메 투 파사포르테 포 파보르]

여권 보여주세요.

I want to confirm / cancel / change
my reservation.

**Quiero confirmar / cancelar / cambiar mi
reserva.**

[끼에로 콘펠마르 / 칸세라르 / 깜비아르미
레세르바]

예약을 확인/취소/변경하고 싶어요.

I booked online.

Reservé en línea. [레세르베 엔 리네아]

인터넷으로 예약했어요.

I want a window / aisle seat.

Quiero un asiento de ventanilla / de pasillo.

[끼에로 운 아시엔토 데 벤타닐아/ 데 파실로]

창가 쪽/복도 쪽 좌석 주세요.

How many suitcases are allowed?

¿Cuántas maletas se permiten?

[꽌타스 마레타스 세 페르미텐]

수화물 몇 개까지 허용돼요?

Which gate should I go to?

¿A qué puerta debo ir?

[아 께 푸에르타 데보 이르]

몇 번 게이트인가요?

Until what time can I check-in?

Hasta cuándo debo hacer el check-in?

[아스타 쿠안도 데보 아세르 엘 체크인]

몇 시까지 체크인해야 하나요?

The departure is delayed.

La salida se retrasa.

[라 사리다 세 레트라사]

출발이 지연되었습니다.

The flight was canceled.

El vuelo fue cancelado.

[엘 부엘로 푸에 칸셀라도]

비행기가 취소되었습니다.

Fasten your seatbelt!

¡Abroche el cinturón de seguridad!

[아브로체 에 신투론 데 세구리다드]

안전벨트를 착용해 주십시오.

Return to your seat!

Regresa a tu asiento.

[레그레사 아 투 아시엔토]

자리로 돌아가 주십시오.

I want something to drink.

Quiero algo para beber.

[끼에로 알고 파라 베베르]

마실 것 좀 주세요.

Is this seat taken?

¿Está ocupado este asiento?

[에스타 오큐파도 에스테 아시엔토]

이 자리 사람 있나요?

Turn off your cellphone!

¡Apaga tu teléfono celular!

[아파가 투 테레포노 세루라]

휴대전화를 꺼주세요.

16-2) 입국 시

What is the purpose of your visit?

¿Cuál es el propósito de tu visita?

[꽐 에스 엘 프로포시토 데 투 비시타]

여행 목적은 무엇입니까?

I am on a business trip.

Estoy en un viaje de negocios.

[에스토이 엔 운비아헤 데 네고시오스]

출장 중입니다.

I'm here on vacation.

Estoy aquí de vacaciones.

[에스토이 아끼 데 바카시오네스]

여기 휴가로 왔어요.

I'm here with a tourist group.

Estoy aquí con un grupo de turistas.

[에스토이 아끼 콘 운 그루포 데 투리스타
스]

단체 여행으로 왔습니다.

I'm visiting families.

Estoy visitando a familiares.

[에스토이 비시탄도 아 파밀리아레스]

가족을 만나러 왔습니다.

Where will you be staying?

¿Dónde te quedarás?

[돈데 테 꿰다라스]

어디에서 지내실 겁니까?

How long are you going to be here?

¿Cuánto tiempo estarás aquí?

[꽌토 티엠포 에스타라스 아끼]

얼마 동안 머물 예정입니까?

A couple of days.

(Estaré aquí) Un par de días.

[(에스타레 아끼) 운 파르 데 디아스]

며칠간만요.

I am here for three weeks.

Estoy aquí por tres semanas.

[에스토이 아끼 포 트레스 세마나스]

3주 동안 있을 겁니다.

Do you have anything to declare?

¿Tienes algo que declarar?

[티에네스 알고 께 데클라라]

신고할 것 있으십니까?

I have nothing to declare.

No tengo nada que declarar.

[노 텡고 나다 께 데클라라]

신고할 것 없습니다.

Where can I get my luggage?

¿Dónde puedo recoger mi equipaje?

[돈데 푸에도 레코헤르 미 에끼파헤]

어디서 가방을 찾나요?

My luggage has disappeared.

Mi equipaje ha desaparecido.

[미 에키파헤 하 데사파레시도]

제 가방이 없어졌습니다.

I can't find my luggage.

No puedo encontrar mi equipaje.

[노 푸에도 엔콘트라르 미 에퀴파헤]

제 가방을 찾을 수가 없어요.

How can I get to downtown from the
airport?

**¿Cómo puedo llegar al centro desde el
aeropuerto?**

[꼬모 푸에도 에가르 알 센트로 데스데 엘
아에로푸에르토]

공항에서 시내에 가려면 어떻게 해야
하나요?

Is there a bus that goes to the cityhall?

**¿Hay un autobús que vaya al
ayuntamiento?**

[아이 운 아우토부스 께 바야 알
아윤타미엔토]

시청까지 가는 버스가 있나요?

Is there a train that departs from the airport?

¿Hay algún tren que salga del aeropuerto?

[아이 알군 트렌 께 살가 델 아이로푸에르토]

공항에서 출발하는 기차가 있나요?

문법 맛보기

소유를 나타내는 동사 tener와 보조동사 haber의 동사 변화는 다음과 같습니다. tener는 '가지다'를 나타내고 haber는 불특정 대상의 '있다'라는 존재를 나타내거나(이때는 비인칭으로 hay) 영어의 have처럼 완료형에 쓰이는 차이가 있습니다.

	Tener	**Haber**
Yo	tengo	he
Tú	tienes	has
Él/Ella/Usted	tiene	ha
Nosotros/Nosotras	tenemos	hemos
Vosotros/Vosotras	tenéis	habéis
Ellos/Ellas/Ustedes	tienen	han

\<공항 관련 단어\>

공항	aeropuerto	airport
국내선	vuelo doméstico	domestic flight
국적	nacionalidad	nationality
국제선	vuelo internacional	international flight
기내 수하물	equipaje de mano	hand luggage
면세점	tienda libre de impuestos	duty free shop
비행기	avión	airplane
비행기 표	billete de avión	plane ticket
사증, 비자	visa	visa
세관	aduanas	customs
세금	impuesto	tax
스탑 오버	escala	stopover
여권	pasaporte	passport
외국	país extranjero	foreign country
위탁 수하물	equipaje facturado	checked in bagage
항공사	aerolínea	airline
항공편	vuelo	flight
항공편 번호	número de vuelo	flight number

Where can I buy …?

¡Dónde puedo comprar ...?

[돈데 푸에도 꼼프라르..?]

어느 곳에서 ~ 살 수 있죠?

When do you open?

¿Cuándo abre? [꽌도 아브레]

이 가게는 언제 열어요?

How can I help you?

¿ Cómo puedo ayudarte?

[꼬모 푸에도 아유다르테]

무엇을 도와드릴까요?

No thank you, I'm just looking around.

No, gracias, solo estoy mirando.

[노 그라시아스 솔로 에스토이 미란도]

괜찮아요, 그냥 보는 거예요.

I am looking for...

Estoy buscando...

[에스토이 부스칸도...]

~ 찾고 있는데요.

Do you sell...?

¿Venden...?

[벤덴...?]

~ 파나요?

Can I try it on?

¿Puedo probármelo?

[푸에도 프로바르메로]

입어 봐도 되나요?

Do you have bigger / smaller size?

¿Tienen una talla más grande

/ más pequeña? [티에넨 우나 탈라 마스 그

란데 / 마스 페케냐]

큰/작은 사이즈는 없나요?

Don't you have anything cheaper?

¿No tienes nada más barato?

[노 티에네스 나다 마스 바라토]

싼 것은 없나요?

How much does this cost?

¿Cuánto cuesta esto?

[꽌토 구에스타 에스토]

이것은 얼마예요?

Do you need anything else?

¿Necesitas algo más?

[네세시타스 알고 마스]

또 필요한 것은 없으세요?

No, thank you. Nothing else.

No, gracias. Nada más.

[노 그라시아스 나다 마스]

네 다른 것은 필요 없어요.

How much is it in total?

¿Cuánto es en total?

[꽌토 에스 엔 토탈]

모두 얼마죠?

It's inexpensive / expensive.

Es barato / caro.

[에스 바라토 / 카로]

싸네요. / 비싸네요.

Can you lower the price?

¿Puede bajar el precio?

[푸에도 바하르 엘 프레시오]

깎아 주실 수 있으세요?

Do you accept credit cards?

¿Aceptan tarjetas de crédito?

[아셉탄 타르에타르 데 크레디토]

신용카드로 계산되나요?

Can I get a receipt?

¿Puedo obtener un recibo?

[푸에도 오브테네르 운 레시보]

영수증 좀 주실래요?

Can I have a plastic bag?

¿Puedo tener una bolsa de plástico?

[푸에도 테네르 우나 볼사 데 플라스티코]

봉지 좀 주실래요?

This is broken.

Esto está roto.

[에스토 에스타 로토]

이거 망가졌어요.

This is damaged.

Esto está dañado.

[에스토 에스타 다냐도]

이거 때가 탔어요.

I'd like to exchange this.

Me gustaría intercambiar esto.

[메 구스타리아 인테르캄비아르 에스토]

바꿔주세요.

< 쇼핑 관련 단어 >

캐시어	cajero	cashier
비용	costo	cost
사이즈	tamaño	size
상점	tienda	store
선물	regalo	gift
세일	venta	sale
손님	cliente	customer
쇼핑 거리	calle de compras	shopping street
쇼핑 센터	centro comercial	shopping center
영수증	recibo	receipt
영업 시간	horario de apertura	opening hour
입구	entrada	entrance
점원	dependiente/a	clerk
출구	salida	exit
패션	moda	fashion
품절	agotado/a	sold out
품질	calidad	quality
피팅 룸	probador	dressing room
환불	reembolso	refund

< 옷, 패션 관련 단어 >

넥타이	corbata	tie
모자	sombrero	hat
바지	pantalones	pants
벨트	cinturón	belt
블라우스	blusa	blouse
우비	impermeable	raincoat
셔츠	camisa	shirt
속옷	ropa interior	underwear
손수건	pañuelo	handkerchief
수영복	traje de baño	swimsuit
스카프	chal	shawl
스커트	falda	skirt
스타킹	pantimedias	pantyhose
신발	zapatos	shoes
양말	calcetines	socks
장갑	guantes	gloves
재킷	chaqueta	jacket
청바지	vaqueros	jeans
코트	abrigo	coat
가디건	cárdigan	cardigan

< 치장, 미용 관련 단어 >

핸드백	bolso	handbag
귀걸이	pendiente	earring
지갑	billetera	wallet
동전 지갑	monedero	coin wallet
립스틱	lápiz labial	lipstick
빗	peine	comb
선글라스	gafas de sol	sunglasses
마사지	masaje	massage
매니큐어 액	esmalte de uñas	nail polish
반사체	reflector	reflector
손목시계	reloj de pulsera	wristwatch
아이라이너	delineador de ojos	eyeliner
선 블록	protector solar	sunscreen
향수	perfume	perfume
데오드란트	desodorante	deodorant
아이섀도	sombra de ojos	eye shadow
화장	maquillaje	makeup
안경	gafas, anteojos	glasses
팔찌	pulsera	bracelet
목걸이	collar	necklace

< 색 >

빨강색	rojo	red
분홍색	rosa	pink
주황색	naranja	orange
노란색	amarillo	yellow
녹색	verde	green
파랑색	azul	blue
보라색	morado	purple
갈색	marrón	brown
회색	gris	gray
검은색	negro	black
흰색	blanco	white

숙 박

Do you have rooms available?

¿Tienen habitaciones disponibles?

[티에넨 아비타시오네스 디스포니블레스]

빈 방 있습니까?

Do you have a single / double room?

¿Tiene una habitación individual/doble?

[티에네 우나 아비타시온 인디비두알 /도블레]

싱글/더블룸 있나요?

I will stay one night. /3 nights.

Me quedaré una noche. / tres noches.

[메 께다레 우나 노체 / 트레스 노체스]

1박 / 3박 묵겠습니다.

I have a room booked under the name of ...

Tengo una habitación reservada a nombre de...

[텡고 우나 아비타시온 레세르바다 아

놈브레 데]

~란 이름으로 예약했습니다.

How much is it per night?

¿Cuánto cuesta por noche?

[꽌토 쿠에스타 포르 노체]

하룻밤에 얼마예요?

Does the price include breakfast?

¿El precio incluye el desayuno?

[엘 페레시오 인크루예 엘 데사유노]

아침 포함된 가격인가요?

What time is breakfast?

¿A qué hora es el desayuno?

[아 께 오라 에스 엘 데사유노]

몇 시에 아침인가요?

I want a room with a bathroom.

Quiero una habitación con baño.

[끼에로 우나 아비타시온 콘 바뇨]

화장실 딸린 방으로 주세요.

How long are you planning to stay?

¿Cuánto tiempo planea quedarse?

[꽌토 티엠포 플라네아 꿰다르세]

얼마 동안 머물 예정이십니까?

You need to pay in advance.

Necesita pagar por adelantado.

[네세시타 파가르 포 아데란타도]

미리 지불하셔야 합니다.

Where can I use the Internet?

¿Dónde puedo usar Internet?

[돈데 푸에도 우사르 인테르넷]

어디서 인터넷을 쓸 수 있죠?

Is there a free wifi available here?

¿Hay wifi gratuito disponible aquí?

[아이 위피 그라투이토 디스포니블레 아끼]

무료 와이파이가 있나요?

What is the wifi password?

¿Cuál es la contraseña wifi?

[꽐 에스 라 콘트라세냐 위피]

와이파이 비밀번호가 무엇인가요?

Could you give me my room key?

The room number is....

¿Podría darme la llave de mi habitación?

El número de la habitación es...

[포드리아 다르메 라 야베 데 미 아비타시온?]

엘 누미로 데 라 아비타시온 에스...]

제방 열쇠를 주세요. 방 번호는~입니다.

Could you wake me up at ...?

¿Podría despertarme a las...?

[포드리아 데스페르타르메 아 라스...]

~시에 깨워줄 수 있으세요?

The room is too noisy.

La habitación es demasiado ruidosa.

[라 아비타시온 에스 데마시아도 루이도사]

방에 소음이 심해요.

The toilet is clogged.

El baño está obstruido.

[엘 바뇨 에스타 옵스트루이도]

화장실이 막혔어요.

The heater does not work.

La calefacción no funciona.

[라 카레파시온 노 푼시오나]

히터가 고장 났어요.

I left my key in the room.

Dejé mi llave en la habitación.

[데헤 미 야베 엔 라 아비타시온]

방에 열쇠를 두고 나왔어요.

The room has not been cleaned.

La habitación no ha sido limpiada.

[라 아비타시온 노 하 시도 림피아다]

방이 치워지지 않았어요.

We don't have electricity.

No tenemos electricidad.

[노 테네모스 엘렉트리시다드]

전기가 안 들어와요.

The lights are off.

Las luces están apagadas.

[라스 루세스 에스탄 아파가다스]

불이 나갔어요.

The TV is out of order.

El televisor no funciona.

[엘 텔레비시오르 노 푼시오나]

TV 가 고장났어요.

Can you give me an extra blanket?

¿Puede darme una manta adicional?

[푸에데 다르메 우나 만타 아딕시오날]

이불 하나만 더 주세요.

Could you store my luggage?

¿Podría guardar mi equipaje?

[포드리아 구아르다 미 에키파헤]

짐 좀 맡아 주시겠어요?

I would like to check out.

Me gustaría hacer el check-out.

[메 구스타리아 하세르 엘 체크 아웃]

체크아웃 하고자 합니다.

문법 맛보기

조동사는 능력, 필요성, 허가 등을 스페인어로 표현하는 데 사용됩니다. 그 뒤에는 주동사의 부정사 형태가 옵니다.

*deber (해야 한다)
　예)Yo debo+동사원형: 나는 ~해야 한다

*poder (할 수 있다)
　Podría는 poder의 조건법 형태로, 공손함을 나타내는 표현임을 기억하세요.
　예)Yo puedo+동사원형: 나는 ~할 수 있다
　　　Puedes+동사원형: 당신은 ~할 수 있나요?

*querer (원한다)
　예)Yo quiero+동사원형: 나는 ~하기를 원한다.

< 숙박, 건물 관련 단어 >

한국어	스페인어	영어
건물	edificio	building
더블룸	habitación doble	double room
룸 서비스	servicio de habitaciones	room service
방	habitación	room
싱글룸	habitación individual	single room
아파트	apartamento	apartment
엘리베이터	ascensor	elevator
집	casa	house
체크아웃	registro de salida	check out
체크인	registro de entrada	check in
층	piso	floor
포터	portero	porter
프론트	recepción	reception
호스텔	albergue	hostel
호텔	hotel	hotel

<방 안, 사물 관련 단어>

거실	sala de estar	living room
거울	espejo	mirror
냉장고	neveras	refrigerator
헤어 드라이어	secador de pelo	hair dryer
램프	lámpara	lamp
문	puerta	door
발코니	balcón	balcony
베개	almohada	pillow
부엌	cocina	kitchen
비누	jabón	soap
사우나	sauna	sauna
샤워기	ducha	shower
샴푸	champú	shampoo
세탁기	lavadora	washing machine
소파	sofá	couch
수건	toalla	towel
열쇠	llave	key
오븐	horno	oven
욕실	baño	bathroom

욕조	bañera	bathtub
의자	silla	chair
이불	edredón	comforter
장롱	armario	wardrobe
창	ventana	window
치약	pasta dental	toothpaste
침대	cama	bed
침실	dormitorio	bedroom
칫솔	cepillo de dientes	toothbrush
커튼	cortina	curtain
테이블	mesa	table
텔레비전	televisión	TV
화장실	inodoro	toilet

<문구 관련 단어>

가위	tijeras	scissor
볼펜	bolígrafo	ballpoint pen
봉투	sobre	envelope
사전	diccionario	dictionary
테이프	cinta	tape
신문	periódico	newspaper
펜	pluma	pen
잡지	diario	journal
접착제	pegamento	glue
지우개	goma de borrar	eraser
종이	papel	paper
책	libro	book
연필	lápiz	pencil

I'd like to book a table.

Me gustaría reservar una mesa.

[메 구스타리아 레세르바 우나 메사]

자리 예약하고 싶습니다.

For how many (people)?

¿Para cuántas personas?

[파라 쿠안타스 페르소나스]

몇 분이시죠?

A table for two people, please.

Una mesa para dos, por favor.

[우나 메사 파라 도스 포 파보르]

2명 자리 부탁해요.

Do you have any available tables?

¿Tienen alguna mesa disponible?

[티에넨 알구나 메사 디스포니블레]

자리 있나요?

Could you wait a moment?

¿Podría esperar un momento?

[포드리아 에스페라르 운 모멘토]

좀 기다려 주시겠습니까?

How long do I have to wait?

¿Cuánto tiempo tengo que esperar?

[콴토 티엠포 텐고 께 에스페라르]

얼마나 기다려야 하나요?

Can I sit here?

¿Puedo sentarme aquí?

[푸에도 센타르메 아끼]

여기 앉아도 돼요?

I'm hungry.

Tengo hambre. [텡고 암브레]

배가 고파요.

I'm thirsty.

Tengo sed. [텡고 세드]

목이 마릅니다.

Can I see the menu?

¿Puedo ver el menú?[푸에도 베르 엘 메뉴]

메뉴 좀 주세요.

What kind of food is this?

¿Qué tipo de comida es esta?

[께 티포 데 코미다 에스 에스타]

이 음식은 무엇인가요?

Would you like to order?

¿Le gustaría ordenar?

[레 구스타리아 오르데나르]

주문하시겠습니까?

I have not decided yet.

Todavía no he decidido.

[토다비아 노 헤 데시디도]

아직 결정을 못 했어요.

What would you recommend?

Qué me recomendaría?

[꼐 메 레코멘다리아]

무엇을 추천하시나요?

Can I get this without...?

¿Puedo obtener esto sin...?

[푸에도 옵테네르 에스토 신...?]

이 음식에서 ~ 빼주실 수 있으세요?

I cannot eat pork.

No puedo comer cerdo.

[노 푸에도 코메르 세르도]

돼지 고기를 못 먹어요.

This is not what I ordered.

Esto no es lo que ordené.

[에스토 노 에스 로 께 오르데네]

이것은 제가 시킨 것이 아니에요.

Enjoy your meal!

¡Disfrute de su comida!

[디스프루테 데 수 코미다]

맛있게 드세요.

This tastes good.

Esto tiene buen sabor.

[에스토 티에네 부엔 사보르]

이거 맛있네요.

Bill please.

La cuenta, por favor.

[라 쿠엔타 포 파보르]

계산서를 주세요.

문법 맛보기

 영어의 this, that 등에 해당하는 지시 대명사가 스페인어에서는 다음과 같습니다.

 중성지시대명사는 무엇인지 구체적으로 모르는 경우에 쓰입니다. 지시형용사와 형태가 같기에, 단독으로 쓰이면 지시대명사, 명사 앞에 쓰이면 지시형용사입니다.

	단수(남/녀)	복수(남/녀)	중성지시대명사
이	este/esta	estos/estas	esto
그	ese/esa	esos/esas	eso
저	aquel/aquella	aquellos/aquellas	aquello

145

< 식당 관련 단어 >

계산서	cuenta	bill
나이프	cuchillo	knife
냅킨	servilleta	napkin
레모네이드	limonada	lemonade
맥주	cerveza	beer
메뉴	menú	menu
메인 코스	plato principal	main course
물	agua	water
바비큐	barbacoa	barbecue
버터	mantequilla	butter
빵	pan	bread
샐러드	ensalada	salad
설탕	azúcar	sugar
소금	sal	salt
소스	salsa	sauce
수프	sopa	soup
스테이크	bife	steak
스푼	cuchara	spoon
아이스크림	helado	ice cream
에피타이저	entrante	starter

오믈렛	tortilla	omelette
와인	vino	wine
요구르트	yogur	yoghurt
우유	leche	milk
웨이터	camarero/a	waiter
으깬감자	puré de patatas	mashed potatoes
잼	mermelada	jam
주스	jugo	juice
차	té	tea
초콜릿	chocolate	chocolate
커피	café	coffee
컵	taza	cup
케이크	pastel	cake
팬케이크	panqueque	pancake
포크	tenedor	fork
피자	pizza	pizza
후식	postre	dessert
후추	pimienta	pepper

< 식품 관련 단어 >

게	cangrejo	crab
감자	papa	potato
고기	carne	meat
과일	fruta	fruit
달걀	huevo	egg
닭고기	carne de pollo	chicken meat
당근	zanahoria	carrot
대구	bacalao	cod
돼지고기	cerdo	pork
딸기	fresa	strawberry
레몬	limón	lemon
마늘	ajo	garlic
멜론	melón	melon
바나나	plátano, banana	banana
배	pera	pear
버섯	champiñón	mushroom
복숭아	durazno	peach
블루 베리	arándano	blueberry
사과	manzana	apple
새우	camarón	shrimp

생선	pescado	fish
소고기	carne de res	beef
소세지	salchicha	sausage
송어	trucha	trout
수박	sandía	watermelon
순록고기	carne de reno	reindeer meat
쌀	arroz	rice
양고기	cordero	lamb
양배추	col, repollo	cabbage
양파	cebolla	onion
연어	salmón	salmon
오렌지	naranja	orange
오리고기	carne de pato	duck meat
오이	pepino	cucumber
올리브	aceitunas	olives
완두콩	guisante	pea
참치	atún	tuna
채소	verduras	vegetables
청어	arenque	herring
치즈	queso	cheese
콩	frijol	bean
토마토	tomate	tomato

파인애플	piña	pineapple
포도	uva	grape
햄	jamón	ham

What seems to be the matter?

¿Qué parece ser el problema?

[꼐 파레세 세르 엘 프로브레마]

상태가 어떠세요?

It hurts.

Duele. [두에레]

아파요.

I'm injured.

Estoy herido/a. [에스토이 에리도/아]

다쳤어요.

I feel sick.

Me siento enfermo/a.

[메 시엔토 엔페르모/아]

몸이 안 좋아요.

I don't feel good.

No me siento bien.

[노 메 시엔토 비엔]

기분이 좋지 않습니다.

I have the flu.

Tengo gripe.

[텐고 그리페]

독감에 걸렸어요.

I have a cold.

Tengo resfriado.

[텡고 레스프리아도]

감기에 걸렸어요.

I'm tired.

Estoy cansado/a.

[에스토이 칸사도/다]

피곤해요.

I'm allergic to ....

Soy alérgico/a a...

[소이 아레르시코/카 아...]

~에 알레르가가 있어요.

I have pain in …

Tengo dolor en... [텡고 도로르 엔...]

~가 아파요.

I have a cough / runny nose / fever / chills.

Tengo tos / secreción nasal /fiebre / escalofríos.

[텡고 토스 / 세크레시온 나살 / 피에브레 /

에스카로프리오스]

기침/콧물/열/오한 있어요.

I have diarrhea.

Tengo diarrea. [텡고 디아레아]

설사해요.

I have a headache / stomachache / toothache.

Tengo dolor de cabeza / dolor de estómago / dolor de dientes.

[텡고 도로르 데 카베자 / 도로르 데 에스토마고 / 도로르 데 디엔테스]

두통/복통/치통이 있어요.

I have a sore throat.

Tengo dolor de garganta.

[텐고 도로르 데 가르간타]

목이 부었어요.

I feel dizzy.

Me siento mareado/a.

[메 시엔토 마레아도/다]

어지러워요.

My nose is blocked.

Tengo la nariz tapada.

[텡고 라 나리크 타파다]

코가 막혔어요.

< 신체 관련 단어 >

가슴	pecho	breast
귀	oreja	ear
눈	ojo	eye
뼈	hueso	bone
등	espalda	back
머리	cabeza	head
머리카락	cabello	hair
목	garganta / cuello	throat/ neck
무릎	rodilla	knee
발	pie	foot
발가락	dedo del pie	toe
발목	tobillo	ankle
배	estómago	stomach
배꼽	ombligo	bellybutton
뺨	mejilla	cheek
손	mano	hand
손가락	dedo	finger
손목	muñeca	wrist
신체	cuerpo	body

어깨	hombro	shoulder
얼굴	cara	face
이마	frente	forehead
입	boca	mouth
치아	dientes	teeth
코	nariz	nose
턱	barbilla	chin
팔	brazo	arm
팔꿈치	codo	elbow
피부	piel	skin
허벅지	muslo	thigh

Help!

¡Ayuda!　　　[아유다]

도와줘요!

Be careful!

¡Ten cuidado!　[텐 쿠이다도]

조심해!

Fire!

¡Fuego!　[푸에고]

불이야!

Stop!

¡Alto!   [알토]

멈춰요!

Quickly!

¡Rápido!   [라피도]

빨리요!

Police!

¡Policía!   [폴리시아]

경찰!

Call an ambulance!

¡Llame una ambulancia!

[야메 우나 암부란시아]

구급차를 불러주세요.

I forgot ...

Olvidé...

[올비데...]

~을 잊어버렸어요.

I lost my ...

Perdí mi...

[페르디 미...]

~을 잃어버렸어요.

Did you find my ...?

¿Encontraste mi...?

[엔콘트라스테 미...?]

내 ~을 찾았나요?

My ... has been stolen.

Han robado mi...

[안 로바도 미...]

내 ~가 도둑맞았아요.

Call the police!

¡Llama a la policía!

[야마 아 라 포리시아]

경찰을 불러주세요.

I'm innocent.

Soy inocente.

[소이 이노센테]

나는 무죄에요.

I want a lawyer.

Quiero un abogado.

[끼에로 운 아보가도]

변호사를 원합니다.

문법 맛보기

tú 명령문: 긍정 명령문에서 ar 동사의 경우 어간에 -a를 추가합니다. er, ir동사의 경우 -e를 추가합니다. 부정 명령문의 경우 문두에 No를 붙이고 ar동사는 -es, 나머지는 -as를 붙여 줍니다.

usted 명령문: 긍정 명령의 경우 ar동사는 어간에 –e를, er, ir 동사는 –a를 추가합니다. 부정 명령의 경우 앞에 No 만 붙이면 됩니다.

Hablar(말하다): Habla!(말해!) Hable! (말하세요!)

Comer (먹다): Come! (먹어!) Coma! (드세요!)

Vivir (살다): Vive! (살아!) Viva! (살아요!)

No hables! (말하지 마!) No hable! (말하지 마세요!)

No comas! (먹지 마!) No coma! (먹지 마세요!)

No vivas! (살지 마!) No viva! (살지 마세요!)

부록: 영어 스페인어 단어 색인

명사 성 구별: 정관사와 함께

account	cuenta	la cuenta
address	dirección	la dirección
adult	adulto/a	el adulto / la adulta
air mail	correo aéreo	el correo aéreo
airline	aerolínea	la aerolínea
airplane	avión	el avión
airport	aeropuerto	el aeropuerto
America	Estados Unidos	los Estados Unidos
amusement park	parque de atracciones	el parque de atracciones
ankle	tobillo	el tobillo
apartment	apartamento	el apartamento
apple	manzana	la manzana
April	abril	abril
arm	brazo	el brazo
ATM	cajero automático	el cajero automático
August	agosto	agosto
aunt	tía	la tía
autumn	otoño	el otoño
back	espalda	la espalda

bakery	panadería	la panadería
balcony	balcón	el balcón
banana	plátano, banana	el plátano / la banana
bank	banco	el banco
bar	bar	el bar
barbecue	barbacoa	la barbacoa
bathroom	baño	el baño
bathtub	bañera	la bañera
battery	batería	la batería
bean	frijol	el frijol
beauty salon	salón de belleza	el salón de belleza
bed	cama	la cama
bedroom	dormitorio	el dormitorio
beef	carne de res	la carne de res
beer	cerveza	la cerveza
bellybutton	ombligo	el ombligo
belt	cinturón	el cinturón
bike	bicicleta	la bicicleta
bill	cuenta	la cuenta
black	negro	el negro
blouse	blusa	la blusa
blue	azul	el azul

blueberry	arándano	el arándano
body	cuerpo	el cuerpo
bone	hueso	el hueso
book	libro	el libro
bookstore	librería	la librería
ballpoint pen	bolígrafo	el bolígrafo
boy	niño /chico	el niño / el chico
boyfriend	novio	el novio
bracelet	pulsera	la pulsera
bread	pan	el pan
breast	pecho	el pecho
bridge	puente	el puente
brochure	folleto	el folleto
brother	hermano	el hermano
brown	marrón	el marrón
building	edificio	el edificio
bus	autobús	el autobús
bus driver	conductor de autobús	el conductor de autobús
bus stop	parada de autobús	la parada de autobús
business trip	viaje de negocios	el viaje de negocios
butter	mantequilla	la mantequilla
cabbage	col, repollo	el col, repollo

cake	pastel	el pastel
camera	cámara	la cámara
car	coche	el coche
cardigan	cárdigan	el cárdigan
carrot	zanahoria	la zanahoria
cash	efectivo	el efectivo
cashier	cajero	el cajero
castle	castillo	el castillo
cathedral	catedral	la catedral
chair	silla	la silla
charger	cargador	el cargador
check in	registro de entrada	el registro de entrada
check out	registro de salida	el registro de salida
checked in bagage	equipaje facturado	el equipaje facturado
cheek	mejilla	la mejilla
cheese	queso	el queso
chicken meat	carne de pollo	la carne de pollo
children	niños	los niños
chin	barbilla	la barbilla
China	China	China
Chinese	chino	el chino
chocolate	chocolate	el chocolate

church	iglesia	la iglesia
cinema	cine	el cine
clerk	dependiente/a	el dependiente / la dependienta
climate	clima	el clima
clothing store	tienda de ropa	la tienda de ropa
cloud	nube	la nube
coat	abrigo	el abrigo
cod	bacalao	el bacalao
coffee	café	el café
coin	moneda	la moneda
coin wallet	monedero	el monedero
colleague	colega	el colega
comb	peine	el peine
comforter	edredón	el edredón
computer	ordenador / computadora	el ordenador / la computadora
cost	costo	el costo
couch	sofá	el sofá
couple	pareja	la pareja
cousin	primo/a	el primo / la prima
crab	cangrejo	el cangrejo
credit card	tarjeta de crédito	la tarjeta de crédito
crosswalk	paso de peatones	el paso de peatones

cucumber	pepino	el pepino
cup	taza	la taza
currency exchange	cambio de moneda	el cambio de moneda
curtain	cortina	la cortina
customer	cliente	el cliente
customs	aduanas	las aduanas
Danish	danés	el danés
Danmark	Dinamarca	Dinamarca
daughter	hija	la hija
December	diciembre	diciembre
degree	grado	el grado
deodorant	desodorante	el desodorante
department store	grandes almacenes	los grandes almacenes
deposit	depósito	el depósito
dessert	postre	el postre
dictionary	diccionario	el diccionario
dollar	dólar	el dólar
domestic flight	vuelo doméstico	el vuelo doméstico
domestic mail	correo nacional	el correo nacional
door	puerta	la puerta
double room	habitación doble	la habitación doble

dressing room	probador	el probador
duck meat	carne de pato	la carne de pato
Dutch	neerlandés	el neerlandés
duty free shop	tienda libre de impuestos	la tienda libre de impuestos
ear	oreja	la oreja
earring	pendiente	el pendiente
east	este	el este
egg	huevo	el huevo
elbow	codo	el codo
electricity	electricidad	la electricidad
elevator	ascensor	el ascensor
e-mail	correo electrónico	el correo electrónico
England	Inglaterra	Inglaterra
English	inglés	el inglés
entrance	entrada	la entrada
entrance fee	tarifa de la entrada	la tarifa de la entrada
envelope	sobre	el sobre
eraser	goma de borrar	la goma de borrar
Euro	euro	el euro
exchange rate	tipo de cambio	el tipo de cambio
exit	salida	la salida
eye	ojo	el ojo

eye shadow	sombra de ojos	la sombra de ojos
eyeliner	delineador de ojos	el delineador de ojos
face	cara	la cara
family	familia	la familia
fashion	moda	la moda
father	padre	el padre
February	febrero	febrero
finger	dedo	el dedo
Finland	Finlandia	Finlandia
Finnish	finlandés	el finlandés
fire station	estación de bomberos	la estación de bomberos
fish	pescado	el pescado
flight	vuelo	el vuelo
flight number	número de vuelo	el número de vuelo
flood	inundación	la inundación
floor	piso	el piso
fog	niebla	la niebla
foot	pie	el pie
forehead	frente	la frente
foreign country	país extranjero	el país extranjero
fork	tenedor	el tenedor
France	Francia	Francia

free time	tiempo libre	el tiempo libre
French	francés	el francés
frost	escarcha	la escarcha
fruit	fruta	la fruta
garlic	ajo	el ajo
German	alemán	el alemán
Germany	Alemania	Alemania
gift	regalo	el regalo
gift shop	tienda de regalos	la tienda de regalos
girl	niña /chica	la niña / la chica
girlfriend	novia	la novia
glasses	gafas, anteojos	las gafas / los anteojos
gloves	guantes	los guantes
glue	pegamento	el pegamento
grandchild	nieto/a	el nieto / la nieta
grandfather	abuelo	el abuelo
grandmother	abuela	la abuela
grape	uva	la uva
gray	gris	el gris
green	verde	el verde
guidebook	guía	la guía
hair	cabello	el cabello

hair dryer	secador de pelo	el secador de pelo
ham	jamón	el jamón
hand	mano	la mano
hand luggage	equipaje de mano	el equipaje de mano
handbag	bolso	el bolso
handker chief	pañuelo	el pañuelo
hat	sombrero	el sombrero
head	cabeza	la cabeza
headphones	auriculares	los auriculares
herring	arenque	el arenque
Holland	Países Bajos	los Países Bajos
honeymoon	luna de miel	la luna de miel
hospital	hospital	el hospital
hostel	albergue	el albergue
hotel	hotel	el hotel
house	casa	la casa
how	cómo	cómo
humidity	humedad	la humedad
hurricane	huracán	el huracán
husband	esposo/marido	el esposo / la esposa
ice cream	helado	el helado
infant	infante	el infante

interest	interés	el interés
international flight	vuelo internacional	el vuelo internacional
international mail	correo internacional	el correo internacional
Internet	internet	el internet
Internet cafe	cibercafé	el cibercafé
Italian	italiano	el italiano
Italy	Italia	Italia
itinerary	itinerario	el itinerario
jacket	chaqueta	la chaqueta
jam	mermelada	la mermelada
January	enero	enero
Japan	Japón	el Japón
Japanese	japonés	el japonés
jeans	vaqueros	los vaqueros
journal	diario	el diario
juice	jugo	el jugo
July	julio	julio
June	junio	junio
key	llave	la llave
kiosk	quiosco	el quiosco
kitchen	cocina	la cocina
knee	rodilla	la rodilla

174

knife	cuchillo	el cuchillo
Korea	Corea	el Corea
Korean	coreano	el coreano
lamb	cordero	el cordero
lamp	lámpara	la lámpara
laptop	computadora portátil	la computadora portátil
lemon	limón	el limón
lemonade	limonada	la limonada
library	biblioteca	la biblioteca
lightning	relámpago	el relámpago
lipstick	lápiz labial	el lápiz labial
living room	sala de estar	la sala de estar
lost and found	objetos perdidos	los objetos perdidos
mailbox	buzón	el buzón
main course	plato principal	el plato principal
makeup	maquillaje	el maquillaje
man	hombre	el hombre
map	mapa	el mapa
March	marzo	marzo
mashed potatoes	puré de patatas	el puré de patatas
massage	masaje	el masaje
May	mayo	mayo

meat	carne	la carne
melon	melón	el melón
memory card	tarjeta de memoria	la tarjeta de memoria
menu	menú	el menú
Mexico	México	el México
milk	leche	la leche
mirror	espejo	el espejo
miss	señorita	la señorita
mister	señor	el señor
money	dinero	el dinero
mother	madre	la madre
mouth	boca	la boca
museum	museo	el museo
mushroom	champiñón	el champiñón
nail polish	esmalte de uñas	el esmalte de uñas
napkin	servilleta	la servilleta
nationality	nacionalidad	la nacionalidad
neck	cuello	el cuello
necklace	collar	el collar
neighbour	vecino/a	el vecino / la vecina
newspaper	periódico	el periódico
north	norte	el norte

Norway	Noruega	el Noruega
Norwegian	noruego	el noruego
nose	nariz	la nariz
November	noviembre	noviembre
October	octubre	octubre
olives	aceitunas	las aceitunas
omelette	tortilla	la tortilla
oneway ticket	billete de ida	el billete de ida
onion	cebolla	la cebolla
opening hour	horario de apertura	el horario de apertura
orange	naranja	la naranja
oven	horno	el horno
package	paquete	el paquete
palace	palacio	el palacio
pancake	panqueque	el panqueque
pants	pantalones	los pantalones
pantyhose	pantimedias	las pantimedias
paper	papel	el papel
parents	padres	los padres
park	parque	el parque
passenger	pasajero	el pasajero
passport	pasaporte	el pasaporte

password	contraseña	la contraseña
pea	guisante	el guisante
peach	durazno	el durazno
pear	pera	la pera
pen	pluma	la pluma
pencil	lápiz	el lápiz
pepper	pimienta	la pimienta
perfume	perfume	el perfume
person	persona	la persona
pharmacy	farmacia	la farmacia
phone	teléfono	el teléfono
photo	foto	la foto
pillow	almohada	la almohada
pineapple	piña	la piña
pink	rosa	la rosa
pizza	pizza	la pizza
plane ticket	billete de avión	el billete de avión
police station	comisaría de policía	la comisaría de policía
pork	cerdo	el cerdo
port	puerto	el puerto
porter	portero	el portero
post office	oficina de correos	la oficina de correos

postage	franqueo	el franqueo
postcard	tarjeta postal	la tarjeta postal
potato	papa	la papa
printer	impresora	la impresora
purple	morado	el morado
quality	calidad	la calidad
queue	cola	la cola
railway	ferrocarril	el ferrocarril
rain	lluvia	la lluvia
rainbow	arcoíris	el arcoíris
raincoat	impermeable	el impermeable
receipt	recibo	el recibo
receiver	destinatario	el destinatario
reception	recepción	la recepción
red	rojo	el rojo
reflector	reflector	el reflector
refrigerator	neveras	las neveras
refund	reembolso	el reembolso
reindeer meat	carne de reno	la carne de reno
relative	pariente	el pariente
reservation	reserva	la reserva
restaurant	restaurante	el restaurante

rice	arroz	el arroz
room	habitación	la habitación
room service	servicio de habitaciones	el servicio de habitaciones
round-trip ticket	billete de ida y vuelta	el billete de ida y vuelta
salad	ensalada	la ensalada
sale	venta	la venta
salmon	salmón	el salmón
salt	sal	la sal
sauce	salsa	la salsa
sauna	sauna	la sauna
sausage	salchicha	la salchicha
school	escuela	la escuela
scissor	tijeras	las tijeras
seat belt	cinturón de seguridad	el cinturón de seguridad
sender	remitente	el remitente
September	septiembre	septiembre
shampoo	champú	el champú
shawl	chal	el chal
shirt	camisa	la camisa
shoe store	zapatería/ tienda de zapatos	la zapatería / la tienda de zapatos
shoes	zapatos	los zapatos

shopping center	centro comercial	el centro comercial
shopping street	calle de compras	la calle de compras
shoulder	hombro	el hombro
shower	ducha	la ducha
shrimp	camarón	el camarón
sidewalk	acera	la acera
sightseeing	turismo	el turismo
SIM card	tarjeta SIM	la tarjeta SIM
single room	habitación individual	la habitación individual
sister	hermana	la hermana
size	tamaño	el tamaño
skin	piel	la piel
skirt	falda	la falda
slaughter house	matadero	el matadero
sleet	aguanieve	el aguanieve
smart phone	teléfono inteligente	el teléfono inteligente
snow	nieve	la nieve
snowstorm	tormenta de nieve	la tormenta de nieve
soap	jabón	el jabón
socket	enchufe	el enchufe
socks	calcetines	los calcetines

sold out	agotado/a	agotado/a
son	hijo	el hijo
soup	sopa	la sopa
south	sur	el sur
Spain	España	España
Spanish	español	el español
spoon	cuchara	la cuchara
spring	primavera	la primavera
stamp	sello / estampilla	el sello / la estampilla
starter	entrante	el entrante
station	estación	la estación
steak	bife	el bife
stomach	estómago	el estómago
stopover	escala	la escala
store	tienda	la tienda
storm	tormenta	la tormenta
strawberry	fresa	la fresa
subway	metro	el metro
sugar	azúcar	el azúcar
summer	verano	el verano
sun	sol	el sol
sunglasses	gafas de sol	las gafas de sol

sunscreen	protector solar	el protector solar
supermarket	supermercado	el supermercado
Sweden	Suecia	Suecia
Swedish	sueco	el sueco
swimming pool	piscina	la piscina
swimsuit	traje de baño	el traje de baño
table	mesa	la mesa
tablet pc	tableta	la tableta
tape	cinta	la cinta
tax	impuesto	el impuesto
taxi	taxi	el taxi
tea	té	el té
teeth	dientes	los dientes
temperature	temperatura	la temperatura
text message	mensaje de texto	el mensaje de texto
theater	teatro	el teatro
thigh	muslo	el muslo
throat	garganta	la garganta
thunder	trueno	el trueno
ticket	boleto	el boleto
ticket office	taquilla	la taquilla
tie	corbata	la corbata

timetable	horario	el horario
toe	dedo del pie	el dedo del pie
toilet	inodoro	el inodoro
tomato	tomate	el tomate
toothbrush	cepillo de dientes	el cepillo de dientes
toothpaste	pasta dental	la pasta dental
tourist	turista	el turista
tourist office	oficina de turismo	la oficina de turismo
towel	toalla	la toalla
town hall	ayuntamiento	el ayuntamiento
tracking number	número de seguimiento / rastreo	el número de seguimiento / rastreo
traffic	tráfico	el tráfico
traffic light	semáforo	el semáforo
train	tren	el tren
train station	estación de tren	la estación de tren
tram	tranvía	el tranvía
traveler's checks	cheques de viajero	los cheques de viajero
trip	viaje	el viaje
trout	trucha	la trucha
tuna	atún	el atún
TV	televisión	la televisión
twin	gemelo/amellizo	el gemelo / el mellizo

uncle	tío	el tío
underwear	ropa interior	la ropa interior
university	universidad	la universidad
vegetables	verduras	las verduras
visa	visa	la visa
waiter	camarero/a	el camarero / la camarera
wallet	billetera	la billetera
wardrobe	armario	el armario
washing machine	lavadora	la lavadora
water	agua	el agua
watermelon	sandía	la sandía
way	camino	el camino
weather	tiempo	el tiempo
weather forecast	pronóstico del tiempo	el pronóstico del tiempo
website	sitio web	el sitio web
west	oeste	el oeste
what	qué	el qué
when	cuándo	el cuándo
where	dónde	el dónde
white	blanco	el blanco
who	quién	el quién

why	por qué	el por qué
wife	esposa/mujer	la esposa / la mujer
wind	viento	el viento
window	ventana	la ventana
wine	vino	el vino
winter	invierno	el invierno
woman	mujer	la mujer
wrist	muñeca	la muñeca
wristwatch	reloj de pulsera	el reloj de pulsera
yellow	amarillo	el amarillo
yoghurt	yogur	el yogur
ZIP code	código postal	el código postal
zoo	zoológico	el zoológico